LES AVENTURES DE **LUCKY LUKE** D'APRÈS MORRIS

UN COW-BOY À PARIS

Dessin : ACHDÉ
Scénario : JUL
d'après MORRIS

Couleur : MEL

*

Morris, un génie du neuvième art !

Le père de Lucky Luke est né en 1923 en Belgique, à Courtrai. Après des débuts dans les studios de dessins animés, il crée Lucky Luke, son univers et les principaux personnages de la série, dont les premières aventures paraîtront dans *L'Almanach de Spirou* en 1947. Il sillonne ensuite, pendant plusieurs années, les États-Unis avec ses amis André Franquin et Joseph Gillain ainsi que les vedettes du magazine satirique *Mad*, Kurtzman, Davis et Wood, tandis que *Lucky Luke* se place très vite au rang des incontournables de la bande dessinée grâce au graphisme simple, expressif et combien efficace de son créateur. Son sens de la formule lui inspirera aussi les expressions "L'homme qui tire plus vite que son ombre" ou "neuvième art".

Dix albums plus tard, il rencontre l'immense René Goscinny qui deviendra son scénariste durant près de 40 tomes. Plusieurs autres se succéderont. La saga du cow-boy solitaire imaginé par Morris rassemble aujourd'hui près de 90 albums. Il a très tôt entretenu une passion dévorante pour le cinéma et l'animation et suivra de près les nombreuses adaptations de son œuvre.

C'est en pleine production des 52 derniers épisodes de dessins animés, *Les Nouvelles Aventures de Lucky Luke*, que Morris décède le 16 juillet 2001. Il demeure pour toujours l'un des monstres sacrés de la bande dessinée. Ses personnages et son univers sont, eux, devenus éternels.

* Caricature de Morris dessinée par l'artiste lui-même.

À la mémoire de René Goscinny, qui sut traverser l'Atlantique en tous sens et bâtir des monuments d'amitié entre les peuples.

Jul et Achdé

UN COW-BOY à Paris

ET VOILÀ, JOLLY JUMPER ...

... UNE FOIS DE PLUS NOUS RAMENONS LES DALTON AU PÉNITENCIER.

C'EST AINSI QUE S'ACHÈVE UNE BELLE AVENTURE.

ÉVASION, CAPTURE, ÉVASION, CAPTURE ...

VOUS NE TROUVEZ PAS QUE ÇA COMMENCE À ÊTRE UN PEU RÉPÉTITIF ?

C'EST VRAI, C'EST FOU ! COMMENT ÇA SE FAIT QUE CELA SE TERMINE TOUJOURS DE LA MÊME FAÇON ?

LE PROBLÈME AVEC VOUS, C'EST QUE TOUS VOS GESTES ET VOS PAROLES SONT PRÉVISIBLES ...

NOUS, PRÉVISIBLES ?! NOUS SOMMES LES DESPERADOS LES PLUS IMPRÉVISIBLES DE TOUT L'OUEST SAUVAGE !!

DU CALME, JOE !

DU CALME, JOE !

QUAND EST-CE QU'ON MANGE ?

SOUPIR

MOI ÇA NE ME GÊNE PAS CE CÔTÉ "DÉJÀ VU", SURTOUT LE MOMENT DE LA SCÈNE FINALE...

"LORSQUE L'ON S'ÉLOIGNE EN CHANTANT "I'M A POOR LONESOME COWBOY" ET QU'APPARAÎT À L'HORIZON..."

...UN CORNET DE GLACE GÉANT !!!

1

ALORS LÀ, C'EST TOTALEMENT INÉDIT.

UN GLACIER AMBULANT QUI INSTALLE SON ÉCHOPPE AU BEAU MILIEU DU TERRITOIRE CHEYENNE ! SI ÇA, CE N'EST PAS L'ESPRIT PIONNIER DU FAR WEST !

WOUWOUWOU! WOUWOUWOU! WOUWOU!W

VISIBLEMENT, IL A TROUVÉ SES PREMIERS CLIENTS.

WOU WOU WOU! WOU WOU!

WOUWOU WOU! WOU WOU!

WOU WOU!

WOU WOU!

WOU! WOU!

QUEL PLAISIR DE RENCONTRER UNE LÉGENDE DE L'OUEST! JE ME PRÉSENTE: AUGUSTE BARTHOLDI.

VISAGE PÂLE AVOIR PROFANÉ TERRES DE NOS ANCÊTRES AVEC SON TOTEM!

MAIS ENFIN, CHEF, CE N'EST PAS UN TOTEM, VOYONS! CE N'EST QU'UNE VULGAIRE ENSEIGNE POUR UN STAND DE CRÈMES GLACÉES À L'ITALIENNE!

VOUS VOYEZ BIEN QUE CE MONSIEUR EST UN PAISIBLE MARCHAND DE GLACES AMBULANT!

EXCUSEZ-MOI MAIS VOUS FAITES ERREUR...

TOUT D'ABORD, JE NE SUIS PAS ITALIEN, COMME MON PATRONYME LE LAISSERAIT PENSER...

...JE SUIS CITOYEN FRANÇAIS!

AUCUNE IMPORTANCE! POUR MOI, CE SERA UN CORNET CHOCOLAT-PISTACHE!

ET POUR MOI, RAISIN-WHISKY!

VOUS FAIRE PARFUM CASSIS-PEMMICAN?

?!

NON MAIS JE NE SUIS PAS DAVANTAGE GLACIER, JE SUIS SCULPTEUR DE MON ÉTAT...

...ET CE QUE VOUS AVEZ PRIS DANS LE FEU DE L'ACTION POUR UNE "VULGAIRE ENSEIGNE" EST UNE ŒUVRE MONUMENTALE DE MA CONCEPTION.

CETTE MAIN BRANDISSANT UNE TORCHE APPARTIENT À LA PLUS GRANDE STATUE JAMAIS RÉALISÉE À CE JOUR! "LA LIBERTÉ ÉCLAIRANT LE MONDE"!

LE RESTE DU MONUMENT EST EN TRAIN D'ÊTRE ACHEVÉ DANS LES ATELIERS GAGET À PARIS, MAIS VOUS AVEZ LA CHANCE DÈS À PRÉSENT DE POUVOIR EN CONTEMPLER CETTE PIÈCE MAÎTRESSE !

JE TRAVAILLE AVEC UN INGÉNIEUX INGÉNIEUR SPÉCIALISÉ DANS LES POUTRELLES MÉTALLIQUES ...

IL A CONÇU UN SYSTÈME POUR TRANSPORTER ET DRESSER LA MAIN SANS ASSISTANCE.

CETTE ŒUVRE COLOSSALE, MESSIEURS, EST DESTINÉE À CÉLÉBRER L'INALTÉRABLE AMITIÉ ENTRE DEUX GRANDES NATIONS ! LA FRANCE ET LES ÉTATS-UNIS D'AMÉRIQUE !

DU HAUT DE SES 93 MÈTRES, DRESSÉE SUR UNE ÎLE DANS LE PORT DE NEW YORK ...

... ELLE S'APPRÊTE À PROCLAMER À L'HUMANITÉ TOUT ENTIÈRE LA VOCATION SUPRÊME DE CHACUN D'ENTRE NOUS ...

LA "LIBERTÉ" !

ET VANILLE ?!

VOUS N'AVEZ PAS NON PLUS DE PARFUM VANILLE ?

MAIS... EUH...

POURQUOI AU JUSTE PROMENEZ-VOUS CETTE MAIN EN PLEIN DÉSERT ?

PARCE QUE, VOYEZ-VOUS, CE PROJET EXTRAORDINAIRE APPARTIENT À TOUT LE MONDE.

DEPUIS PHILADELPHIE, OÙ NOUS AVONS EXPOSÉ LA TORCHE, J'AI ENTAMÉ UNE GRANDIOSE TOURNÉE DU PAYS POUR FAIRE CONNAÎTRE AU PUBLIC CE SYMBOLE MAGNIFIQUE !

ET PUIS, TOUT À FAIT ENTRE NOUS ! IL NOUS MANQUE UN PEU D'ARGENT POUR FINANCER LA CONSTRUCTION DU SOCLE.

ALORS C'EST L'OCCASION DE SENSIBILISER LES GÉNÉREUX DONATEURS... D'AILLEURS, SI NOS AMIS PEAUX-ROUGES DÉSIRENT VISITER L'INTÉRIEUR DE LA TORCHE...

...IL NE LEUR EN COÛTERA QUE LA MODIQUE SOMME DE 50 CENTS !

BIEN ENTENDU, VOUS AVEZ DROIT À UNE VISITE GRACIEUSE, MONSIEUR LUKE.

J'APPRÉCIE BEAUCOUP LA LIBERTÉ, MONSIEUR BARTHOLDI, MAIS JE SUIS ATTENDU AU PÉNITENCIER.

JE DOIS CONDUIRE CES MESSIEURS DERRIÈRE LES BARREAUX.

J'AIME LES PERSONNALITÉS CONTRADICTOIRES.

BISON FUTÉ POUVOIR VOIR CIRCULATION SUR LA PLAINE !

SQUAW GÉANTE AUSSI LANCER SIGNAUX DE FUMÉE ?

UNE TOUR DE TÉLÉCOMMUNICATIONS ?

IL FAUDRAIT QUE J'EN PARLE À MON INGÉNIEUR.

J'AI DÉJÀ VU DES FARFELUS AU FAR WEST, MAIS CELUI-CI VAUT SON PESANT DE CUIVRE !

PÉNITENCIER DE CROSS JUNCTION

VOICI LA PRISON... ELLE M'A L'AIR PLUS SOLIDE QUE LES PRÉCÉDENTES.

"MONSIEUR LUCKY LUKE ET LES DALTON"

DITES DONC, C'EST UNE VIEILLE PHOTO ÇA! VOUS AVEZ UNE CIGARETTE!

OBJETS INTERDITS DANS L'ENCEINTE DU PÉNITENCIER?

ALORS, LES PRISONNIERS À DROITE, LES ACCOMPAGNATEURS FILE DE GAUCHE...

POUR RAISON DE SÉCURITÉ, NOUS ALLONS INSPECTER VOS AFFAIRES. AVEZ-VOUS UN REVOLVER?

AH BEN, POUR ESCORTER LES DALTON, IL VAUT MIEUX...

JE VAIS VOUS DEMANDER DE DÉPOSER VOTRE ARME ET VOTRE CEINTURE SUR CETTE TABLE...

RETIREZ AUSSI VOTRE CHAPEAU.

ENFIN, C'EST UN STETSON TOUT CE QU'IL Y A DE PLUS CLASSIQUE...

C'EST LE RÈGLEMENT.

VOTRE FOULARD, S'IL VOUS PLAÎT.

AH, ET ÉGALEMENT VOS BOTTES.

OK, ÇA IRA...

VOUS POUVEZ RETIRER VOTRE SELLE, S'IL VOUS PLAÎT?!

ACHDÉ + JUL

7

BONJOUR, MONSIEUR LUKE..., JE SUIS ABRAHAM LOCKER, LE DIRECTEUR DE CET ÉTABLISSEMENT...

MMM...

EXCUSEZ-NOUS POUR LE DÉRANGEMENT, MAIS LES RÈGLES DE NOTRE PÉNITENCIER SONT TRÈS STRICTES.

J'AI VU.

JE VOUS EN PRIE, VENEZ DONC DANS MON BUREAU, NOUS Y SERONS PLUS À L'AISE.

VOTRE PRISON EST TRÈS IMPOSANTE.

C'EST UN DEVOIR ENVERS LA SOCIÉTÉ QUE DE LA PROTÉGER DE SES ÉLÉMENTS PERTURBATEURS.

CLICLAC!
TCHIC!
CLIC!
CLOC!

JE REFERME DERRIÈRE NOUS, C'EST PLUS SÛR.

JE SUIS UN PASSIONNÉ D'ARCHITECTURE PÉNITENTIAIRE...

J'AI D'AILLEURS MOI-MÊME COMMIS UN OUVRAGE SUR LES DIFFÉRENTS TYPES DE BARREAUX ET CLÔTURES À TRAVERS LES ÂGES.

A. E. LOCKER
50 Nuances de Grilles

JE PENSE QUE, POUR UNE FOIS, LES DALTON SERONT BIEN GARDÉS...

NOUS AVONS UN TAUX D'ÉVASION TRÈS BAS...

8

MOI-MÊME JE SORS TRÈS PEU...

MAIS TOUT CECI N'EST QU'UNE ÉBAUCHE ! J'AI CONÇU LE MODÈLE D'UNE PRISON DE HAUTE SÉCURITÉ TELLE QUE LE MONDE N'EN A JAMAIS CONNU...

NOUS ALLONS BÂTIR UN PÉNITENCIER IDÉAL OÙ LES PRISONNIERS AURONT PERPÉTUELLEMENT L'IMPRESSION D'ÊTRE SURVEILLÉS...

JE NE SAIS PAS SI CELA DISSUADERA LES DALTON DE CREUSER DES TUNNELS.

POUR RENDRE TOUTE ÉVASION IMPOSSIBLE, J'AI PERSONNELLEMENT CHOISI UN ÎLOT ROCHEUX DANS LA BAIE DE NEW YORK !

DING

AH, EXCUSEZ-MOI, IL FAUT QUE JE DONNE À MANGER À PAPILLON...

?

"PAPILLON"?

CLIC! CLIC!

OUI, C'EST MON CANARI.

TCHIP!

IL A TENDANCE À S'ENVOLER, ALORS JE PRÉFÈRE LE LAISSER DANS LE COFFRE LA JOURNÉE...

C'EST ATTACHANT, CES PETITES BÊTES.

MAIS QUELLE RESPONSABILITÉ !

TCHIIP?

D'AILLEURS, J'ESPÈRE QUE VOUS AVEZ BIEN ATTACHÉ VOTRE CHEVAL.

JE VAIS VOUS DEMANDER AUSSI DE RETIRER VOS FERS, S'IL VOUS PLAÎT.

VOUS NE FAITES PAS LES CHOSES À MOITIÉ, MONSIEUR LOCKER.

OUI, MAIS C'EST AVEC MON FUTUR PÉNITENCIER QUE VOTRE VIE VA VRAIMENT CHANGER, LUKE.

FINI LE TEMPS PERDU À COURIR APRÈS LES BANDITS! VOUS ALLEZ POUVOIR VOUS CONCENTRER SUR VOTRE COEUR DE MÉTIER.

"GARDIEN DE VACHES"!

EH BIEN, EN TOUT CAS, J'AI L'IMPRESSION QUE L'IMMOBILIER NEW-YORKAIS A DE BEAUX JOURS DEVANT LUI.

AH OUI, POURQUOI?

J'AI CROISÉ AUJOURD'HUI UN ORIGINAL QUI COMPTAIT JUSTEMENT ÉDIFIER UNE STATUE SUR UNE ÎLE EN FACE DE MANHATTAN...

LE FRANÇAIS?!

AH, VOUS ÊTES AU COURANT?

CETTE VERMINE ESSAIE DE ME VOLER L'EMPLACEMENT DE MON PROJET! MAIS C'EST MAL ME CONNAÎTRE, MONSIEUR LUKE: CETTE ÎLE ACCUEILLERA MA PRISON!

PAS CETTE FANTAISIE RUINEUSE À LA GLOIRE DE JE NE SAIS QUELLE "LIBERTÉ"!

ALLONS BON, QU'EST-CE QUE C'EST QUE CET ÉPOUVANTAIL ?

AURIEZ-VOUS L'AMABILITÉ DE M'INDIQUER LA RIVIÈRE ?

BARTHOLDI! QU'EST-CE QUI VOUS EST ARRIVÉ ?!

AH, C'EST VOUS ?

UN PETIT DIFFÉREND AVEC QUELQUES CLIENTS DU SALOON VISIBLEMENT INSENSIBLES À LA BEAUTÉ DE MON PROJET...

PAR CONTRE, QUEL ACCUEIL CHEZ LES INDIENS! APRÈS VOTRE DÉPART ILS M'ONT TROQUÉ 40 TAPIS DE SELLE CONTRE DES REPRODUCTIONS EN PLÂTRE DE LA STATUE.

MAIS CE SONT LES TYPES DU SALOON QUI VOUS ONT COUVERT DE GOUDRON ET DE PLUMES ?

ÉTONNANT N'EST-CE PAS? CE MÉLANGE M'A L'AIR D'UNE ÉTANCHÉITÉ REMARQUABLE: IL FAUT QUE J'EN PARLE À MON INGÉNIEUR.

VENEZ VOUS NETTOYER DANS MA CHAMBRE D'HÔTEL ET LAISSEZ-MOI DIRE DEUX MOTS AUX CANAILLES QUI VOUS ONT FAIT ÇA.

ET MOI, QUI C'EST QUI VA RAVOIR LES TACHES SUR MA SELLE, MAINTENANT ?

RIVERBANK

POULICHES PARTOUT, SHÉRIF NULLE PART

C'EST ICI L'ATELIER "BEAUX-ARTS" ?!

12

14

LEQUEL D'ENTRE VOUS A REPEINT LE SCULPTEUR ?

HARVEY, C'EST L'HEURE DE TON COURS D'HISTOIRE DE L'ART...

LEÇON NUMÉRO UN : "LA NATURE MORTE".

PAN! PAN! PAN!

?!

JE PRÉFÈRE COMMENCER PAR "LE NU ANTIQUE".

POURQUOI VOUS ÊTRE ATTAQUÉS AU FRANÇAIS ?

C'EST... C'EST LOCKER, LE PATRON DU PÉNITENCIER ! IL NOUS A PAYÉS POUR INTERROMPRE LA TOURNÉE DU PIED-TENDRE !

HAHA! OUI, JE M'EN DOUTAIS.

DEPUIS QUE LE PRÉSIDENT LUI-MÊME A APPROUVÉ MON PROJET DE STATUE À NEW YORK, LOCKER NE DÉCOLÈRE PAS !

MAIS IL NE ME FAIT PAS PEUR : LES RICHES ET LES PUISSANTS NOUS SONT HOSTILES, MAIS PARTOUT DANS LE PAYS LES GENS SIMPLES SONT ENTHOUSIASTES !

VOUS ME PASSERIEZ UNE SERVIETTE ?

J'ADMIRE VOTRE COURAGE, MAIS IL NE VOUS PROTÉGERA PAS D'UNE BALLE DANS LE DOS.

QUELQUES GRAMMES DE PLOMB NE SONT RIEN FACE À 88 TONNES DE CUIVRE !

REGARDEZ CETTE UNE DU "WORLD", MONSIEUR LUKE! LA SOUSCRIPTION POPULAIRE LANCÉE PAR LE JOURNAL ATTEINT DÉJÀ SOIXANTE-DIX MILLE DOLLARS!

DES VIEILLARDS NOUS ENVOIENT LEURS ÉCONOMIES, DES TOMBOLAS SONT ORGANISÉES PAR DES DÉTENUS EN PRISON...

IL Y A MÊME DES ÉCOLIERS QUI ONT FAIT UN CONCOURS DE DESSINS SUR LE THÈME DE LA LIBERTÉ!

Billy the KID

CELA DOIT ÉNERVER ENCORE PLUS VOS ADVERSAIRES...

EH BIEN, VENEZ DONC NOUS AIDER! IL NE NOUS RESTE QUE QUELQUES SEMAINES DE TOURNÉE AVANT DE RETOURNER CHERCHER LA STATUE À PARIS: SOYEZ LE PROTECTEUR OFFICIEL DE LA LIBERTÉ!

C'EST QUE ...

VOUS ÊTES MAGNIFIQUE, LUKE. À PARTIR DE CET INSTANT, C'EST LE MONDE QUI A LES YEUX RIVÉS SUR VOUS!

DÈS LORS, LA CAMPAGNE DE BARTHOLDI PRIT UN NOUVEL ÉLAN...

ALORS, C'EST BIEN D'ACCORD? VOTRE SALOON ACCUEILLERA NOTRE GRAND GALA DEMAIN?

SI MONSIEUR LUKE GARANTIT LA SÉCURITÉ ...

REGARDE-MOI ÇA, LULU, ELLE EST MIEUX ROULÉE QUE TOI!

OUI MAIS ELLE LÈVE PAS LA JAMBE AUSSI HAUT!

LIBERTY NIGHT

GRANDE REUNION AU SALOO! Venez nombreux supporter la construction de la statue de la liberté qui éclairera le monde.

SALOON THE BLUEBIRD

LIBERTY NIGHT
Ce soir, GRAND GALA au profit de la Statue!

QUOI?!

UNE "SOIRÉE POUR L'AMITIÉ FRANCO-AMÉRICAINE" AU SALOON DE RIVERBANK ?!

MAIS ENFIN !

MAIS QU'EST-CE QU'ILS TROUVENT TOUS À CE PEUPLE DE SAUVAGES ?!

UN PAYS QUI PREND LA DESTRUCTION D'UNE PRISON COMME FÊTE NATIONALE !!

AH, ILS VEULENT "METTRE LE FEU" ?

EH BIEN, ILS VONT L'AVOIR !

LE SOIR VENU...

ALORS, POUR LES COW-BOYS, NOUS AVONS LES ÉPERONS "LIBERTY", LA CARTOUCHIÈRE "LIBERTY"...

IL VOUS RESTE DES PELUCHES "LIBERTY" ?

SOIRÉE "LIBERTY"
Entrée 2 $
Un souvenir offert !

BON, VOUS ÊTES PRÊTES ? "LA MARSEILLAISE", TWO STEPS...

LIBERTÉ, LIBERTÉ CHÉRIIIIIE COMBATS AVEC TES DÉFENSEUUUURS !

TOUT LE MONDE EST À L'INTÉRIEUR... C'EST LE MOMENT !

PSSSST...

T...T...T!

?!

C'ÉTAIT UNE BONNE SOIRÉE.

REGARDE, ILS ONT MÊME EMBAUCHÉ DES FIGURANTS!

PLUS TARD...

425 $ DE RECETTE! CE GALA EST UN SUCCÈS!

MAIS LOCKER SEMBLE DÉTERMINÉ À VOUS NUIRE.

VOUS FERIEZ MIEUX DE CHANGER DE RÉGION.

ABSOLUMENT! NOUS AVONS DÉJÀ RENDEZ-VOUS DANS 18 VILLES ET 6 ÉTATS!

SHERIFF OFFICE

SMITH' ...ORE

ET C'EST AINSI QUE REPRIT LA TOURNÉE : 2 HOMMES, 1 CHEVAL 6 MULES ET 1 MORCEAU DE FEMME...

PROCHAINE ÉTAPE: ABILENE!

16

JE NE SAIS PAS COMMENT VOUS ALLEZ RÉUSSIR À INTÉRESSER LES HABITANTS D'ABILENE : CE SONT DES COW-BOYS ENDURCIS QUI NE VOIENT GUÈRE PLUS LOIN QUE LES CORNES DE LEURS VACHES !

DÉTROMPEZ-VOUS, LUCKY LUKE...

ABILENE
LA VILLE LA PLUS VACHE DE L'OUEST

"CES HOMMES DE L'OUEST SONT COMME VOUS ! ÉPRIS DE GRANDS ESPACES DE LIBERTÉ ! JE LEUR AI DONC ORGANISÉ QUELQUE CHOSE POUR EUX CET APRÈS-MIDI...

FAMEUSE, VOTRE IDÉE DE "RODÉO THÉMATIQUE" !!

12 $ SUR "LIBERTY SAM" !

15 $!

YIPPEE !

LIBERT RODEO

À LA NUIT TOMBÉE...

FORMIDABLE ! NOUS AVONS FAIT LA MEILLEURE RECETTE DE LA SEMAINE !

METTEZ-LA BIEN EN SÛRETÉ POUR LA NUIT : LA RÉGION EST ASSEZ AGITÉE.

CRAC !

CHUT ! PAR ICI ! LOCKER NOUS A DIT QUE LE COFFRE ÉTAIT DANS LE CHARIOT.

IL PARAÎT QU'ILS TRANSPORTENT UNE FORTUNE !

PAN !

17

EN ALABAMA, LES NOIRS ONT COMPOSÉ UN "LIBERTY BLUES"...

DES MINEURS DE L'OKLAHOMA ONT OFFERT 30 KILOS D'OR POUR COUVRIR LE FLAMBEAU...

"... ET L'ASSOCIATION DES ÉLEVEURS DE L'ARKANSAS A POSÉ 20 KILOMÈTRES DE BARBELÉS "EN L'HONNEUR DE LA LIBERTÉ"!

CET ENGOUEMENT POUR DES VALEURS MORALES SUPÉRIEURES EST À DÉSESPÉRER DU FAR WEST!!!

QU'EST-CE QUE C'EST QUE CE RAFFUT DANS LA COUR?!

C'EST LA CHORALE DES DÉTENUS, MONSIEUR LE DIRECTEUR...

... ILS ONT ORGANISÉ UN PETIT RÉCITAL DE SOUTIEN AU PROFIT DE LA STATUE.

LIBÉRÉÉÉÉÉ DÉLIVRÉÉÉÉÉ

TANDIS QUE LE CONVOI CHEMINE VERS L'EST, LE PAYSAGE CHANGE MAIS L'ENTHOUSIASME NE FAIBLIT PAS...

TITUSVILLE, PENNSYLVANIE!

NOUS AVONS RENDEZ-VOUS À 13 HEURES DANS UNE MAISON DE RETRAITE POUR QUAKERS, PUIS À L'ASSOCIATION DES VEUVES DE JOUEURS DE POKER POUR UN THÉ DANSANT.

VOUS ÊTES INFATIGABLE!

QU'EST-CE QUE C'EST QUE CES CONSTRUCTIONS ÉTONNANTES?

CE SONT DES DERRICKS : NOUS SOMMES EN PLEINE ZONE DE PROSPECTION PÉTROLIÈRE.

POUAH!

IL FAUT ABSOLUMENT QUE JE MONTRE ÇA À GUSTAVE!

À QUI DONC?

GUSTAVE EIFFEL, VOUS SAVEZ, MON INGÉNIEUR...

C'EST UN FANATIQUE DES ASSEMBLAGES DE POUTRELLES.

ÉDITION SPÉCIALE! "ILS L'ONT FAIT!"

LES PATRIOTES AMÉRICAINS ONT RÉUNI L'ARGENT POUR FINANCER LA STATUE DE LA LIBERTÉ!

?

TIENS, PETIT!

?

LÀ, VOUS M'EN DEMANDEZ TROP. JE SUIS UN COW-BOY, PAS UN PIGEON VOYAGEUR.

CETTE IDÉE ME PARAÎT VRAIMENT FARFELUE !

LES ENNEMIS DE LA LIBERTÉ NE RECULENT DEVANT RIEN, EUX !

MAIS JE N'AI JAMAIS QUITTÉ LE CONTINENT AMÉRICAIN !!!

ALLONS, ALLONS, LES VOYAGES FORMENT LA JEUNESSE... EUH...QUEL ÂGE AVEZ-VOUS, D'AILLEURS ?

ET PUIS, JE NE ME SÉPARE JAMAIS DE JOLLY JUMPER !

EH BIEN, EMMENEZ-LE AVEC VOUS ! DU RESTE, LES FRANÇAIS ADORENT LES CHEVAUX.

J'AI L'IMPRESSION QU'IL M'EST DIFFICILE DE REFUSER ...

CROYEZ-MOI, LUKE, CE DÉFI EST À LA HAUTEUR DE VOTRE RÉPUTATION.

JE VAIS IMMÉDIATEMENT TÉLÉGRAPHIER CETTE SPLENDIDE NOUVELLE !

MONSIEUR LOCKER ! LA PRESSE ANNONCE QUE LUCKY LUKE VA ACCOMPAGNER BARTHOLDI EN FRANCE POUR RAMENER LA STATUE !

NE CROYEZ PAS LES JOURNAUX, SCHULTZ. AUCUNE STATUE NE TRAVERSERA L'ATLANTIQUE ...

PIOU !

POURTANT, C'EST DANS L'ENTHOUSIASME GÉNÉRAL QUE LES PRÉPARATIFS NE TARDENT PAS À S'ACHEVER ...

DEMAIN MATIN, NOUS PROCÉDERONS AU CHARGEMENT À BORD DU "LA FAYETTE" ET NOUS INVITONS LA POPULATION DE NEW YORK À VENIR SALUER LE DÉPART DE CES HÉROS ADMIRABLES !

LA FRANCE ! EH BIEN, CELA PROMET D'ÊTRE PLUS EXOTIQUE QUE LE CANADA OU LE MEXIQUE.

VOUS RENDEZ-VOUS COMPTE ! IL EXISTE PRÈS DE 6 HEURES DE DÉCALAGE AVEC NOUS ! EN CE MOMENT MÊME, IL EST 5 HEURES ET PARIS S'ÉVEILLE !

ET CE SOIR-LÀ, C'EST COMME UNE PROMESSE QUE LA NUIT DESCEND SUR LA "VILLE QUI NE DORT JAMAIS".

QUAND SOUDAIN...

AU FEU!

QUELQU'UN A VERSÉ DU PÉTROLE SUR LES CAISSES CONTENANT LA STATUE !!

AUSSITÔT, LA LÉGENDAIRE SOLIDARITÉ NEW-YORKAISE S'ORGANISE...

MAIS AU MATIN...

NOUS N'AVONS RIEN PU SAUVER, MONSIEUR LE VICE-PRÉSIDENT !

ET LE PIRE, C'EST QUE NOUS N'AVONS RETROUVÉ AUCUNE TRACE DE BARTHOLDI ET DE LUCKY LUKE...

JE CRAINS QU'ILS N'AIENT TOUS DEUX PÉRI DANS L'INCENDIE, MONSIEUR.

VOUS ÊTES TROP ÉMOTIF, SULLIVAN...

23

MON CHER LUKE, JE CROIS QUE NOUS AVONS BIEN FAIT D'EMBARQUER INCOGNITO À BORD D'UN AUTRE NAVIRE...

LUCKY LUKE SE PORTE À MERVEILLE, JE VOUS LE GARANTIS !

MOUI... GULP! EN REVANCHE JE NE ME SENS PAS TRÈS BIEN...

AÏE, AÏE, AÏE, LE MAL DE MER! COURAGE, SARAH BERNHARDT ET CHRISTOPHE COLOMB L'ONT SURMONTÉ...

VOUS POUVEZ Y ARRIVER, LUKE !

ET PUIS LA TRAVERSÉE NE DURE QUE 12 JOURS !

MILLE MILLIARDS DE MILLE SABOTS !!!

AH, BONJOUR, CAPITAINE !

QUI EST-CE QUI M'A FICHU UN CHEVAL DANS UNE CABINE PASSAGER ?! C'EST UN VAPEUR DE STANDING, ICI, PAS UNE BÉTAILLÈRE !!

HA HA, NON ! JOLLY JUMPER EST L'ASSISTANT DE MONSIEUR LUKE... WASHINGTON A PAYÉ POUR TROIS CABINES EN PREMIÈRE CLASSE.

AH BON ? DANS CE CAS, ÇA CHANGE TOUT !

HITE STAR

VEUILLEZ ME FAIRE L'HONNEUR DE PARTAGER MA TABLE CE SOIR...

QUOI ?! ILS ONT RÉUSSI À EMBARQUER ?!!

QU'Y A-T-IL, MONSIEUR LOCKER ?

NOTRE HOMME DE NEW YORK A ÉCHOUÉ ! TÉLÉGRAPHIEZ IMMÉDIATEMENT À NOTRE CONTACT À PARIS !

"...ET LA TRAVERSÉE SE DÉROULE SANS ENCOMBRE..."

"...OU PRESQUE..."

ET SI VOUS ESSAYIEZ AVEC VOTRE FOULARD SUR LES YEUX ?

COMMENT VA VOTRE AMI COW-BOY ? TOUJOURS INDISPOSÉ ?

"...JUSQU'À L'ARRIVÉE EN FRANCE..."

JE SENS DÉJÀ L'ODEUR DU CROISSANT CHAUD !

BEUH ! NE ME PARLEZ PAS DE NOURRITURE, AUGUSTE !

"...AU PORT DE ROUEN."

ENFIN LA TERRE FERME !

C'EST LA PREMIÈRE FOIS QUE JE VOIS UN AMÉRICAIN AUSSI CONTENT DE DÉBARQUER EN NORMANDIE !

COURAGE ! NOUS AVONS ENCORE UN PEU DE TRAJET AVANT D'ARRIVER À PARIS...

JE N'AI PAS DE PROBLÈME AVEC LES TRAINS.

ROUEN PARIS

MESSIEURS DAMES ...

LA NORMANDIE, C'EST UN PEU NOTRE FAR WEST À NOUS ...

CAMEMBERT 402 HABITANTS
Notre pâte est molle mais notre plomb est dur !

JE ME PRÉSENTE ! DOCTEUR CHARLES BOVARY.

LUCKY LUKE.

JE DEVINE QUE VOUS ÊTES AMÉRICAIN ?

QU'EST-CE QUI VOUS AMÈNE DANS NOTRE VIEUX PAYS ? LES AFFAIRES ? L'AMOUR ?

UN JOLI GARÇON COMME VOUS, JE NE SERAIS PAS ÉTONNÉ.

JE SUIS VENU POUR RACCOMPAGNER UNE DAME À NEW YORK.

MÉFIEZ-VOUS DES FRANÇAISES, MONSIEUR. VOUS CROYEZ QU'ELLES VOUS APPARTIENNENT...

... ET L'INSTANT D'APRÈS, ELLES LAISSENT TOUT LE MONDE LEUR RENDRE VISITE !

JE CROIS JUSTEMENT QUE C'EST CE QUI EST PRÉVU.

AH ! C'EST CE GENRE DE FEMME-LÀ ! OUI, EN CE CAS C'EST AUTRE CHOSE ...

C'EST UNE PETITE BRUNETTE ? UNE GRANDE ROUSSE ?

26

ELLE FAIT 93 MÈTRES DE HAUT !

?!!

TU VOIS, EMMA, JE T'AVAIS TOUJOURS DIT QUE LES AMÉRICAINS ÉTAIENT DES TORDUS !

FLÛTE ! LE TRAIN S'EST ARRÊTÉ EN PLEINE CAMPAGNE.

CE SONT DES DESPERADOS ? DES INDIENS ?

PIRE !

DES CHEMINOTS !

"EN RAISON D'UN MOUVEMENT SOCIAL D'UNE CERTAINE CATÉGORIE DU PERSONNEL, LE TRAIN ROUEN-PARIS ARRIVERA AVEC 6 HEURES DE RETARD..."

ON VEUT
LA SEMA
DES 50 H

ET NEUF HEURES PLUS TARD, GARE SAINT-LAZARE ...

À NOUS DEUX, PARIS !

"À NOUS TROIS," PLUTÔT.

VOTRE VILLE EST IMPRESSIONNANTE, BARTHOLDI.

APRÈS LES IMMENSITÉS DU FAR WEST, CELA ME SEMBLE UN PEU ÉTRIQUÉ.

BOULEVARD HAUSSMANN

JE VOUS AI RÉSERVÉ UN HÔTEL À LA PLAINE MONCEAU.

QUE VOULAIT DIRE LE VICE-PRÉSIDENT PAR "LES FRANÇAIS ADORENT LES CHEVAUX"?

PROCHAINEMENT CHAT NOIR

BOUCHERIE CHEVALINE

C'EST LÀ-BAS QUE SONT SITUÉS LES ATELIERS OÙ NOUS AVONS DONNÉ VIE À NOTRE RÊVE.

CAFÉ

NOUS AVONS UNE CHAMBRE POUR MONSIEUR ET UNE STALLE POUR SA MONTURE.

"LUCKY", C'EST LE NOM OU LE PRÉNOM?

JE VOUS LAISSE MONTER VOUS RAFRAÎCHIR PUIS NOUS IRONS SALUER LES ÉQUIPES À L'ATELIER.

?

ALLONS-Y! VOTRE CHAMBRE VOUS CONVIENT?

ÇA CHANGE DU BIVOUAC SOUS LA LUNE! MAIS ... À QUOI SERT DONC LE PETIT ABREUVOIR EN FAÏENCE DANS LA SALLE DE BAINS?

28

Achdé + Jul

VOICI "LADY LIBERTY"...

"... RÉALISÉE PAR LES MEILLEURS OUVRIERS D'EUROPE.

BIENVENUE LUCKY LUKE

AUGUSTE!

GUSTAVE!

GUSTAVE EIFFEL, PRINCE DES INGÉNIEURS... LUCKY LUKE, COW-BOY LE PLUS RAPIDE DE L'OUEST!

J'AIME LES HOMMES AUX NERFS D'ACIER.

JE VOUS PRÉSENTE CLARA, LA PRÉSIDENTE D'HONNEUR DE L'ASSOCIATION POUR L'AMITIÉ FRANCO-AMÉRICAINE.

ENCHANTÉE!

VOUS ÊTES D'ORIGINE BELGE, MONSIEUR LUKE?

EUH... NON POURQUOI?

EH BIEN, JE NE SAIS PAS! CES COULEURS "NOIR, JAUNE, ROUGE"... CE SONT BIEN LES COULEURS DU DRAPEAU BELGE, NON?

?

IL EST TEMPS DE NOUS REMETTRE À L'OUVRAGE. ENCORE QUELQUES DÉTAILS ET NOUS PROCÉDERONS À L'INAUGURATION PARISIENNE, PUIS CE SERA LE GRAND DÉPART.

NOUS DEVRIONS PEUT-ÊTRE NOUS RELAYER POUR SURVEILLER LE CHANTIER?

COMPTEZ SUR MES OUVRIERS POUR ÇA... BIEN QUE JE DOUTE QUE LOCKER POUSSE LE VICE JUSQU'À VENIR AGIR ICI.

POURQUOI NE PAS VISITER LA VILLE? FAITES DONC UN TOUR EN BATEAU-MOUCHE PAR EXEMPLE.

NE ME PARLEZ PLUS DE BATEAUX!

29

ET C'EST AINSI QUE LUCKY LUKE LE COW-BOY DÉCOUVRIT PARIS, "LA VILLE LUMIÈRE"...

SES PEINTRES...

L'IMPRESSIONNISME C'EST : "PEINDRE LES COULEURS PLUS VITE QUE LEUR OMBRE !"

SES COCOTTES...

CETTE DAME EST UNE LÉGENDE DE L'OUEST...

BELLE NUIT NUIT D'AMOUR...

"...DE L'OUEST PARISIEN, BIEN SÛR..."

SES ÉTUDIANTS...

ON VIENT DE REFAIRE LES RUES AUTOUR DE LA SORBONNE...

JE NE VOIS PAS À QUOI TOUS CES PAVÉS VONT POUVOIR SERVIR.

SES RESTAURANTS...

DES GRENOUILLES ET DES ESCARGOTS ! JE PARIE QUE PERSONNE NE MANGE DES CHOSES AUSSI BIZARRES CHEZ VOUS.

MMMM... AVERELL MANGE BIEN DU SAVON...

SES MONUMENTS...

SES POÈTES...

DEUX ABSINTHES.

ET DES CARAMELS MOUS !!!

MONSIEUR VERLAINE, POUVEZ-VOUS DIRE À RIMBAUD DE RANGER SON REVOLVER ? IL VA FINIR PAR BLESSER QUELQU'UN !

30

*EN FRANÇAIS DANS LE TEXTE

RATTRAPONS-LE PAR LES BOULEVARDS!

JE DÉTESTE LES POURSUITES DANS LES EMBOUTEILLAGES.

TRIIIIII!!

VOUS AVEZ VU?! C'EST BUFFALO BILL!

IL PARAÎT QU'IL N'EST PLUS AVEC SARAH BERNHARDT.

IL ESSAIE DE S'ENFUIR PAR LE BOIS!

ON VA COUPER PAR LE CHAMP LÀ-BAS ET LUI BARRER LA ROUTE!

HIPPODROME DE LONGCHAMP

LES COUREURS VIENNENT DE PRENDRE LE DÉPART POUR CETTE 3E COURSE TRÈS DISPUTÉE À LONGCHAMP...

"ET C'EST "YAKARI DU LOMBARD", CASAQUE ROUGE, QUI PREND LA TÊTE..."

MAIS... MAIS... MAIS... NOUS AVONS MAINTENANT UN OUTSIDER QUI S'ÉLANCE SUR LA PISTE!

33

CASAQUE JAUNE, FOULARD ROUGE...

IL REMONTE À LA HAUTEUR DE SES CONCURRENTS À UNE VITESSE FOLLE!

...C'EST UNE COURSE ABSOLUMENT FOUDROYANTE!

"ET C'EST EN SOLITAIRE QU'IL FRANCHIT LA LIGNE D'ARRIVÉE!"

OH NON! REGARDE-MOI ÇA!

IMPOSSIBLE DE TRAVERSER SANS BLESSER QUELQU'UN!

POUR "L'ILLUSTRATION", LE NOM DE VOTRE CHEVAL S'IL VOUS PLAÎT?

EUH... JOLLY JUMPER!

BON... PAS LA PEINE D'INSISTER...

JE CROIS QU'ON A ÉTÉ SEMÉS...

UNE INTERVIEW POUR LE "PETIT PARISIEN"?!

...ET C'EST DONC "JOLI JEAN-PIERRE" QUI REMPORTE CETTE COURSE HAUT LA MAIN...

VOUS FAITES PARTIE D'UNE ÉCURIE BELGE?

"IL M'A ÉCHAPPÉ !

CE N'EST PAS DE VOTRE FAUTE, LUKE... AU MOINS MAINTENANT, CES BRIGANDS SAVENT À QUOI S'EN TENIR...

VOUS ALLEZ POUVOIR RÉPARER LA STATUE À TEMPS ?

OUI, IL NOUS RESTE JUSTE ASSEZ DE PLAQUES DE CUIVRE...

"MAIS EN ATTENDANT, ELLE EST DÉFIGURÉE.

VOUS SAVEZ, PATRON, PERSONNE N'A JAMAIS REPROCHÉ AU SPHINX DE GIZEH D'AVOIR PERDU SON NEZ.

UN MATOU PERDU EN PLEIN DÉSERT, JE VEUX BIEN...

"MAIS AUCUNE PARISIENNE NE SE MONTRERAIT DANS LA RUE DANS UN ÉTAT PAREIL !

ET UNE HEURE PLUS TARD...

C'EST TOUT À FAIT CALAMITY JANE !

ET SI VOUS LA RECOUVRIEZ D'UNE BÂCHE LE TEMPS DES TRAVAUX ?

35
Achdé + Ju

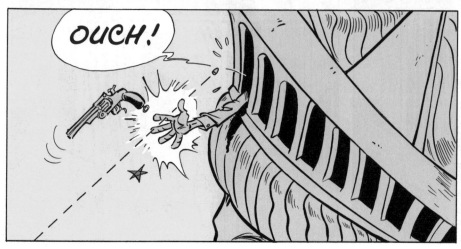

ET C'EST ENFIN LE GRAND DÉPART VERS L'AMÉRIQUE.

350 PIÈCES, 214 CAISSES PLUS 36 CAISSES DE BOULONS ET DE RIVETS! LE POIDS DE LA "LIBERTÉ" !!!

JE NE SAIS PAS SI J'AI TRÈS ENVIE D'AFFRONTER DEUX SEMAINES DE MER...

COURAGE...

... ILS ANNONCENT UN TEMPS IDÉAL POUR TOUTE LA TRAVERSÉE !

CINQ JOURS PLUS TARD...

BEUH !

PENSEZ AU RODÉO, LUKE !

L'OREILLE GAUCHE AVEC DES BOULONS DU PIED DROIT ?!

MISÈRE! LA TEMPÊTE A MÉLANGÉ LES PIÈCES ! ON EN A POUR DES MOIS À TOUT RECLASSER !

ENFIN, APRÈS 27 JOURS DE MER...

NEW YORK ! JE SENS DÉJÀ L'ODEUR DES DONUTS !

BEUH !

... C'EST UNE ARRIVÉE TRIOMPHALE !

TOOOT !

NOUS AVONS ORGANISÉ CE SOIR UN GRAND BANQUET EN VOTRE HONNEUR !

COMMENCEZ SANS MOI...

J'AI UN PETIT COMPTE À RÉGLER DU CÔTÉ DE CROSS JUNCTION.

FLASH!

MON INGÉNIEUR ET MOI CHERCHONS UNE IDÉE POUR LA PROCHAINE EXPOSITION UNIVERSELLE À PARIS...

"... ET NOUS AVONS PENSÉ ÉRIGER SUR LE CHAMP-DE-MARS UNE GIGANTESQUE STATUE À VOTRE EFFIGIE !

QU'EN DITES-VOUS ? CE SERAIT ÉPATANT, NON ?

HA ! HA ! JE SUIS FLATTÉ, MAIS JE NE CROIS PAS MÉRITER UN TEL HONNEUR !

ET UN PARC D'ATTRACTIONS DÉDIÉ À VOS AVENTURES AU SUD DE PARIS ?

NON, MERCI, AUGUSTE... JE CROIS QUE VOUS AVEZ DÉJÀ ACCOMPLI LE CHEF-D'ŒUVRE DE VOTRE VIE...

"... ALORS BONNE CHANCE À VOUS ET À LADY LIBERTY !

BONNE ROUTE, LUCKY LUKE !

C'EST AINSI QUE LA STATUE DE LA LIBERTÉ DEVINT LE SYMBOLE LE PLUS CÉLÈBRE DES ÉTATS-UNIS...

LA TOURNÉE D'AUGUSTE BARTHOLDI EN AMÉRIQUE FUT BIENTÔT OUBLIÉE... MÊME SI CERTAINS À PARIS EN IMPORTÈRENT QUELQUES HABITUDES...

MONSIEUR EIFFEL, IL VIENT ENCORE DE MONTER UNE POUTRELLE À L'ENVERS !!

PRÉPAREZ LE GOUDRON ET LES PLUMES !

QUANT À ABRAHAM LOCKER, IL CONNAÎTRA FINALEMENT DANS LA BAIE DE SAN FRANCISCO LE PÉNITENCIER DE SES RÊVES... MAIS DE L'INTÉRIEUR !

UNE PRISON NOMMÉE... ALCATRAZ !

LIBÉRÉÉÉ DÉLIVRÉÉÉ

LA FERME AVERELL !!

DEMAIN, DÈS L'AUBE, À L'HEURE OÙ BLANCHIT LA CAMPAGNE, JE PARTIRAI*...

FIN

* VICTOR HUGO, 1847

Achdé + Jul 26/07/18

La statue de la Liberté
surplombe les ateliers Gaget-Gauthier, à Paris, en 1884.

© LUCKY COMICS 2018
PREMIÈRE ÉDITION
DÉPÔT LÉGAL : NOVEMBRE 2018
ISBN : 978-2884-71453-2

TOUS DROITS DE TRADUCTION, DE REPRODUCTION
ET D'ADAPTATION STRICTEMENT RÉSERVÉS POUR TOUS PAYS.
IMPRIMÉ SUR UN PAPIER ISSU DE FORÊTS
GÉRÉES DURABLEMENT.
IMPRIMÉ ET RELIÉ EN SEPTEMBRE 2018
PAR PPO GRAPHIC — 10, RUE DE LA CROIX-MARTRE,
91120 PALAISEAU, FRANCE

SÉRIE LUCKY LUKE
AUX ÉDITIONS DUPUIS

- LA MINE D'OR DE DICK DIGGER
- RODÉO
- ARIZONA
- SOUS LE CIEL DE L'OUEST
- LUCKY LUKE CONTRE PAT POKER
- HORS-LA-LOI
- L'ÉLIXIR DU DOCTEUR DOXEY
- PHIL DEFER
- DES RAILS SUR LA PRAIRIE
- ALERTE AUX PIEDS-BLEUS
- LUCKY LUKE CONTRE JOSS JAMON
- LES COUSINS DALTON
- LE JUGE
- RUÉE SUR L'OKLAHOMA
- L'ÉVASION DES DALTON
- EN REMONTANT LE MISSISSIPI
- SUR LA PISTE DES DALTON
- À L'OMBRE DES DERRICKS
- LES RIVAUX DE PAINFUL GULCH
- BILLY THE KID
- LES COLLINES NOIRES
- LES DALTON DANS LE BLIZZARD
- LES DALTON COURENT TOUJOURS
- LA CARAVANE
- LA VILLE FANTÔME
- LES DALTON SE RACHÈTENT
- LE 20E DE CAVALERIE
- L'ESCORTE
- DES BARBELÉS SUR LA PRAIRIE
- CALAMITY JANE
- TORTILLAS POUR LES DALTON

CHEZ LUCKY COMICS

- LA DILIGENCE
- LE PIED-TENDRE
- DALTON CITY
- JESSE JAMES
- WESTERN CIRCUS
- CANYON APACHE
- MA DALTON
- CHASSEUR DE PRIMES
- LE GRAND DUC
- LE CAVALIER BLANC
- L'HÉRITAGE DE RANTANPLAN
- LA GUÉRISON DES DALTON
- L'EMPEREUR SMITH
- LE FIL QUI CHANTE
- 7 HISTOIRES DE LUCKY LUKE
- LE MAGOT DES DALTON
- LA BALLADE DES DALTON
  ET AUTRES HISTOIRES
- LE BANDIT MANCHOT
- SARAH BERNHARDT
- LA CORDE DU PENDU
- DAISY TOWN
- FINGERS
- LE DAILY STAR
- LA FIANCÉE DE LUCKY LUKE
- NITROGLYCÉRINE
- LE RANCH MAUDIT
- L'ALIBI
- LE PONY EXPRESS
- L'AMNÉSIE DES DALTON
- CHASSE AUX FANTÔMES
- LES DALTON À LA NOCE
- LE PONT SUR LE MISSISSIPPI
- KID LUCKY
- BELLE STARR
- LE KLONDIKE
- O.K. CORRAL
- OKLAHOMA JIM
- MARCEL DALTON
- LE PROPHÈTE
- L'ARTISTE PEINTRE
- LA LÉGENDE DE L'OUEST

SÉRIE RANTANPLAN
CHEZ LUCKY COMICS

- LA MASCOTTE
- LE PARRAIN
- RANTANPLAN OTAGE
- LE CLOWN
- BÊTISIER 1
- BÊTISIER 2
- LE FUGITIF
- BÊTISIER 3 : MIRAGE DANGEREUX
- LE MESSAGER
- LES CERVEAUX
- LE CHAMEAU
- BÊTISIER 4 : CHIEN DES CHAMPS
- LE GRAND VOYAGE
- BÊTISIER 5
- LA BELLE ET LE BÊTE
- BÊTISIER 6 : LE NOËL DE RANTANPLAN
- BÊTISIER 7 : SUR LE PIED DE GUERRE
- BÊTISIER 8 : CHIEN D'ARRÊT
- BÊTISIER 9 : MORTS DE RIRE
- BÊTISIER 10 : CARRÉ D'OS

HORS COLLECTION

- LA BALLADE DES DALTON (L'ALBUM DU FILM)
- MORRIS VOUS APPREND À DESSINER LUCKY LUKE
- L'UNIVERS DE MORRIS
- LA FACE CACHÉE DE MORRIS
- TOUS À L'OUEST (L'ALBUM DU FILM)
- LE CUISINIER FRANÇAIS
- L'ART DE MORRIS

LUCKY LUKE VU PAR

- L'HOMME QUI TUA LUCKY LUKE (MATTHIEU BONHOMME)
- JOLLY JUMPER NE RÉPOND PLUS (GUILLAUME BOUZARD)

SÉRIE
LES AVENTURES DE LUCKY LUKE
D'APRÈS MORRIS
CHEZ LUCKY COMICS

- LA BELLE PROVINCE
- LA CORDE AU COU
- L'HOMME DE WASHINGTON
- LUCKY LUKE CONTRE PINKERTON
- CAVALIER SEUL
- LES TONTONS DALTON
- LA TERRE PROMISE
- UN COW-BOY À PARIS

SÉRIE
LES AVENTURES DE KID LUCKY
D'APRÈS MORRIS
CHEZ LUCKY COMICS

- L'APPRENTI COW-BOY
- LASSO PÉRILLEUX
- STATUE SQUAW
- SUIVEZ LA FLÈCHE